Le papillon

Un livre Dorling Kindersley
www.dk.com

Traduction française Lise-Éliane Pomier
Adaptation française Atelier Brigitte Arnaud

 5757, RUE CYPIHOT
SAINT-LAURENT (QUÉBEC)
H4S 1R3

www.erpi.com/documentaire

Dépôt légal : 4ᵉ trimestre 2004
Bibliothèque nationale du Québec
Bibliothèque nationale du Canada
ISBN 2-7613-1586-3
K 15863

Imprimé en Chine
Édition vendue exclusivement
au Canada.

Envole-toi avec no

Sommaire

t regarde-nous grandir !

Je suis un papillon.

Grâce à mes ailes multicolores, je peux voler de fleur en fleur. Je me nourris de leur nectar à l'aide de ma trompe, longue et flexible.

Les antennes aident le papillon à sentir les odeurs et à garder l'équilibre.

Son corps est couvert de millions de poils soyeux.

Le papillon aspire le nectar des fleurs grâce à sa trompe creuse, dont il se sert comme d'un chalumeau !

Voici un gros plan de mes écailles.

Mes ailes sont composées de milliers d'écailles minuscules.

Avant ma naissance

Mes parents se sont rencontrés par hasard, dans une prairie couverte de fleurs. Ils ont voleté ensemble quelques minutes. Ensuite, ils se sont posés pour s'accoupler.

Le mâle s'éloigne presque immédiatement.
La femelle cherche une plante sur laquelle elle pourra pondre ses œufs.

La ponte

Le papillon femelle incurve son abdomen et dépose délicatement ses œufs sur une feuille. Ils ne tombent pas, car la nature est bien faite : ils sont tout gluants.

Chacun chez soi

Les différentes espèces de papillons pondent leurs œufs sur des plantes bien déterminées. Celui-ci, appelé machaon, aime tout particulièrement la carotte sauvage et le fenouil.

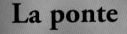

Fenouil géant

Carotte sauvage

L'éclosion

Cinq jours suffisent : je suis prêt à sortir de l'œuf. Mais je ne suis encore qu'une minuscule chenille. Pour voir le jour, je dois d'abord me frayer un passage à travers la coquille, et ce n'est pas le plus facile !

Cet œuf de deux jours commence à changer de couleur.

Il faut plusieurs heures à la petite chenille pour sortir de l'œuf.

Un jardin extraordinaire

Là où il y a des fleurs,
il y a des papillons.
Au printemps, on peut
découvrir un peu partout
leurs œufs minuscules,
à condition, bien sûr, de
regarder très attentivement !

La coquille de l'œuf est mon premier repas !

Je deviens une grosse chenille.

Plus je mange et plus je grossis. À tel point que, bientôt, ma peau est trop petite, car elle n'est pas élastique comme la tienne. Je dois en changer : c'est ce qu'on appelle la mue. À chaque étape de ma croissance, ma peau est de couleur différente.

7 jours   **12 jours**   **18 jours**

Attention, danger !
Lorsque la chenille se sent menacée, elle déplie une sorte de corne orangée qui dégage une odeur nauséabonde, afin de faire fuir les prédateurs.

Très souvent, la chenille mange son ancienne peau après la mue !

Les chenilles n'ont pas
de poumons. Elles respirent
grâce aux orifices de
leur peau.

Un appétit féroce

Cette chenille a trois semaines.
Elle passe son temps à manger.
Elle dispose d'un mois à peine
pour faire provision d'énergie
et trouver la force
de se changer
en papillon.

Mes mandibules
broient les aliments.

Je ne dors jamais. Je ne fais que manger, manger et encor

Mes piquants tiennent mes ennemis en respect.

Danger !

Munch, crunch !

Je m'agrippe aux branches grâce à mes nombreuses pattes.

Ce qu'il faut savoir.

• Les chenilles ne mangent pas n'importe quoi. Elles se nourrissent d'une ou deux sortes de plantes seulement.

• Si tu pouvais grandir aussi vite qu'une chenille, tu aurais la taille d'un gros camion en moins de deux semaines !

Un fil de soie solide

Environ quatre semaines après ma naissance, je cherche une branche assez résistante pour me soutenir et je tisse un fil de soie pour m'y attacher solidement. Je vais changer une dernière fois de peau et devenir une chrysalide.

Pour adhérer à la branche, je sécrète un coussinet de soie gluante.

Il est temps de commencer ma métamorphose !

Je resterai
suspendu par cette
ceinture comme
un alpiniste
en rappel.

La chenille se dépouille
de sa vieille peau.
Une enveloppe rigide
la remplace.

La carapace durcit.
Cet étui protecteur
s'appelle une chrysalide.

À l'intérieur, la chenille
fond pour former
une épaisse masse
gélatineuse.

Je sors de ma chrysalide.

La transformation dure environ trois semaines. La gelée contenue dans la chrysalide se change petit à petit en un magnifique papillon.

Emballage transparent

Le moment venu, la chrysalide devient transparente. Regarde bien. Est-ce que tu vois déjà les couleurs du papillon ?

Je **pousse** avec ma tête, je **frappe** avec mes pattes, et la chrysalide se déchire.

Je suis sorti, mais mes ailes sont encore humides et fripées.

Ce qu'il faut savoir.

· ·

- Certaines espèces passent l'hiver dans la chrysalide et ne sortent qu'au printemps.

- Le papillon possède un squelette extérieur appelé exosquelette.

Je respire à fond pour faire circuler le sang dans mes ailes et les défroisser.

Je m'envole.

Mes ailes sèchent en quelques minutes. Je suis prêt à prendre mon vol. Je vais pouvoir chercher les fleurs que je préfère pour me nourrir.

J'abandonne ma chrysalide vide.

Mes ailes sont bien sèches. Prêt

La durée de vie
d'un papillon adulte
n'est que de quatre ou
cinq semaines.
Pour trouver un
compagnon et
se reproduire,
il faut faire vite.

uel régal !
papillon se nourrit du
ctar des fleurs, qu'il
pire à l'aide de sa trompe.

19

Le cycle de la vie continue…

Maintenant, tu sais comment je suis devenu ce beau papillon !

Au revoir, je pars à l'aventure !

Mes cousins du monde entier

Pour effrayer les oiseaux, le paon-du-jour déploie ses ailes, dont les ocelles ressemblent à des yeux.

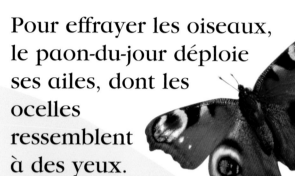

Peux-tu me voir ?

Ailes fermées, ce papillon-feuille ressemble à une feuille morte.

Je suis le papillon pygmée, et je suis le plus petit !

Le clubtail cendré vit dans les forêts tropicales humides.

Je suis le plus grand : le tracé v

22

es papillons répartis à travers
e monde présentent toutes
es couleurs de l'arc-en-ciel !

Le morpho
bleu se régale du
jus des fruits pourris.

Ce papillon
d'Amérique du
ud s'appelle le
8… Je suppose
que tu comprends
ourquoi !

Le malachite mange la
fiente des oiseaux !

L'ornithoptère
est un papillon
géant que l'on
trouve en
Australie
et en
Nouvelle-
Guinée.

À retenir :

• Une espèce migratrice
d'Amérique du Nord, le
monarque, parcourt près de
9 000 km aller-retour entre
les Grands Lacs et le golfe
du Mexique.

• Il existe plus de 28 000
espèces différentes de
papillon.

• Lorsque la température de
son corps descend en-
dessous de 30°C, un papillon
est incapable de voler.

r indique ma taille réelle.

Glossaire

Trompe
Sorte de tube qu'utilise le papillon pour aspirer le nectar des fleurs.

Éclosion
Moment où la petite chenille sort de l'œuf.

Chenille
Deuxième stade de la vie d'un papillon, après l'œuf.

Mue
Moment où la chenille échang[e] sa vieille peau contre une plus grande.

Chrysalide
Stade intermédiaire entre chenille e[t] papillon.

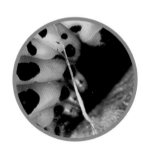

Soie
Fil tissé par la chenille pour fixer à une branche la futu[re] chrysalide.

Crédits et remerciements

L'éditeur tient à remercier les organismes dont les noms suivent de lui avoir permis de reproduire leurs photographies (légende : h = en haut ; c = au centre ; b = en bas ; d = à droite ; g = à gauche) : Jerry Young, Andy Crawford, Frank Greenaway, Colin Keates, Natural History Museum, Derek Hall, Eric Crichton, Kim Taylor, Jane Burton.
1 : Alamy Images t ; 2-3 : N.H.P.A./Laurie Campbell b ; 3 : Oxford Scientific Films/Stan Osolinski hd ; 4 : Duncan McEwan/naturepl.com cgb ; 4-5 : Oxford Scientific Films/Raymond Blythe ; 5 : Science ; Photo Library/Andrew Syred hg ; 6-7 : Flowerphotos/Carol Sharp ;
6 : Richard Revels ; 7 : Corbis/George McCarthy (butterfly) ca ; 7 : Windrush Photos/Richard Revels (leaf & egg) ch ; 8-9 : FLPA - Images of nature/Ian Rose (background) ; 8-9 : Windrush Photos : Richard Revels c ; 9 : Woodfall Wild Images/Richard Revels b ; 10 : Ardea London Ltd/Pascal Goetgheluck cgb ;

10-11 : Oxford Scientific Films/Raymond Blythe ; 12-13 : FLPA - Images of Nature/Ian Rose (background) ; 12-13 : Hans Christoph Kappel/naturepl.com (caterpillar) ; 12 : N.H.P.A./Daniel Heuclin c[ ] 14-15 : Richard Revels (caterpillar) ; 15 : Richard Revels hd, cd, bd[ ] 16 : Richard Revels cgh, bc ; 17 : Richard Revels ; 18 : Richard Rev[ ] 19 Ingo Arndt/naturepl.com d ; 20 : FLPA - Images of nature/Roger Wilmshurst c ; 20 : Hans Christoph Kappel/naturepl.com hg ; 20 : Richard Revels cgh, cgb, bcg ; 21 : Sonia Halliday Photographs/Sis[ ] Daniel (background) ; 21 : Hans Christoph/naturepl.com c ;
24 : Ardea London Ltd/Ian Beames bd ; 24 : Oxford Scientific Films/Raymond Blythe hd.

Pour les autres images : © Dorling Kindersley